3500 palavras
em inglês

3500 palavras em inglês

3ª Reimpressão

© 2007 Thierry Belhassen

Assistente editorial
Gabriela Canato

Capa e projeto gráfico
Paula Astiz

Editoração eletrônica
Lydia Oide / Paula Astiz Design

Ilustrações
Lydia Oide

Dados Internacionais de Catalogação na Publicação (CIP)
(Câmara Brasileira do Livro, SP, Brasil)

Belhassen, Thierry
  3500 palavras em inglês / Thierry Belhassen. – Barueri, SP : DISAL, 2007.

  ISBN 978-85-89533-83-6

  1. Inglês – Estudo e ensino I. Título.

07-8670   CDD-420.7

Índices para catálogo sistemático:
1. Inglês : Estudo e ensino   420.7

Todos os direitos reservados em nome de:

Bantim, Canato e Guazzelli Editora Ltda.
Al. Mamoré, 911, sala 107, Alphaville
06454-040, Barueri, SP
Tel./Fax: (11) 4195-2811

Visite nosso site: www.disaleditora.com.br
Vendas:
Televendas: (11) 3226-3111
Fax gratuito: 0800 7707 105/106
E-mail para pedidos: comercialdisal@disal.com.br

Nenhuma parte desta publicação pode ser reproduzida, arquivada nem transmitida de nenhuma forma ou meio sem permissão expressa e escrita da Editora.

SUMÁRIO
SUMMARY

VIAGENS *TRAVELS* 9

De Avião *By Plane* 9
De Barco *By Boat* 12
De Trem *By Train* 14
De Carro *By Car* 16

FÉRIAS *HOLIDAYS* 20

No Hotel *At the Hotel* 20
No Restaurante *At the Restaurant* 21
Comida *Food* 23

COMPRAS *SHOPPING* 30

Roupas *Clothes* 32
Som *Hi-Fi* 35
Livros *Books* 37
Tabaco *Tobacco* 38
Lavanderia *Laundry* 39
Fotografia *Photography* 40
Jóias *The Jewels* 41
Correio e Telefone *Post-office and Telephone* 42
Supermercado *Supermarket* 43
Papelaria *Stationery* 44
Drogaria *Drugstore* 44
Ferragens *Hardware* 45
Flores *Flowers* 46

NA PRAIA *AT THE BEACH* 48

NA MONTANHA *IN THE MOUNTAIN* 51

NA RUA *IN THE STREET* 53

Diversões *Entertainment* 55

NO CAMPO IN THE COUNTRY 59

Pomar Orchard 59
Floresta Forest 60
Tempo e Estações Time and Seasons 61
Animais Animals 64
Animais Selvagens Wild Animals 66

NO TRABALHO AT WORK 70

Na Escola At School 70
Números Numbers 72
Negócios Business 74

A MÍDIA THE MEDIA 78

POLÍTICA POLITICS 81

CRIME E CASTIGO CRIME AND PUNISHMENT 84

GUERRA E PAZ WAR AND PEACE 87

O DIA A DIA EVERY DAY' S LIFE 90

Em Casa At Home 90
Móveis e Acessórios Furniture and Appliances 92
Família e Amigos Family and Friends 95

LAZER LEISURE 98

Festas Parties 98
Esportes e Jogos Sports and Games 99

SAÚDE HEALTH 104

Corpo Body 104
Doença Illness 108
Acidentes e Morte Accidents and Death 110
Sentidos Senses 111
Coração e Mente Heart and Mind 115

PALAVRAS ÚTEIS USEFUL WORDS 119

VIAGENS *TRAVELS*

De Avião *By Plane*

uma agência de viagem   *a travel agency*
uma viagem   *a trip, a travel*
a companhia aérea   *the airline*
um bilhete   *a ticket*
um bilhete de ida   *a single ticket*
um bilhete de ida e volta   *a return ticket*
um passaporte   *a passport*
um visto   *a visa*
a taxa de câmbio   *the exchange rate*
o dinheiro   *money*
as férias   *holidays*
o viajante   *the traveler*
o turista   *the tourist*
um estrangeiro   *a foreigner*
um estranho   *a stranger*
um país   *a country*
o aeroporto   *the airport*
a bagagem   *the luggage*
a mala   *the suitcase*
uma sacola   *a bag*
a bolsa   *the hand bag*
a carteira   *the wallet, purse*
o carrinho de bagagem   *the luggage cart*
o carregador   *the porter*
o aviso   *the announcement*
a alfândega   *customs*
o funcionário da alfândega   *the customs officer*

3.500 PALAVRAS EM INGLÊS

a taxa   *the duty*
uma garrafa   *a bottle*
cigarros   *cigarettes*
charutos   *cigars*
tabaco   *tobacco*
um perfume   *a perfume*
a joalheria   *the jewelry shop*
os binóculos   *the binoculars*
os óculos   *the eye glasses*
uma máquina fotográfica   *a camera*
um gravador   *a tape-recorder*
um vídeo   *a video-recorder*
um computador   *a computer*
um formulário   *a form*
o helicóptero   *the helicopter*
o planador   *the glider*
o avião a jato   *the jetplane*
a decolagem   *the take off*
a pista   *the runway*
a tripulação   *the crew*
a aeromoça   *the stewardess*
o piloto   *the pilot*
o passageiro   *the passenger*
o avião   *the plane*
o vôo   *the flight*
a cabina   *the cabin*
a classe   *the class*
o lugar   *the seat*
o cinto de segurança   *the seat belt*
a máscara de oxigênio   *the oxygen mask*
o enjôo   *air-sickness*
a bandeja   *the tray*
a janela   *the window*

VIAGENS TRAVELS

a asa   *the wing*
a aterrissagem   *the landing*
a partida   *the departure*
a chegada   *the arrival*
o táxi   *the taxi*
o carro   *the car*
o ônibus   *the bus*
o trem   *the train*
a tarifa   *the fare*
a gorjeta   *the tip*
o hotel   *the hotel*
a reserva   *the reservation*
o quarto   *the room*
o elevador   *the elevator, lift*
a chave   *the key*
o número do quarto   *the room number*
o banheiro   *the bathroom*
um guia   *a guide*
o sol   *the sun*
a chuva   *the rain*
o guarda-chuva   *the umbrella*
a neve   *the snow*

* * *

molhado   *wet*
seco   *dry*
caro   *expensive*
barato   *cheap*
quente   *warm*
muito quente   *hot*
frio   *cold*
gelado   *frozen*
chuvoso   *rainy*
ventoso   *windy*

ensolarado   *sunny*
perto   *close*
longe   *far*
pesado   *heavy*
leve   *light*
turístico   *scenic*
rápido   *fast*
devagar   *slow*

✱ ✱ ✱

viajar   *to travel*
tomar o avião   *to take the plane*
voar   *to fly*
tirar férias   *to take holidays*
reservar   *to book*
confirmar   *to confirm*
cancelar   *to cancel*
despachar   *to send*
apertar o cinto   *to fasten the seat belt*
passar pela alfândega   *to go through customs*
declarar   *to declare*
pedir informações   *to ask for information*
alugar   *to rent*
visitar   *to visit*
chamar   *to call*
passear   *to stroll, to tour around*
chover   *to rain*
nevar   *to snow*
gelar   *to freeze*
contratar   *to hire*

De Barco   **By Boat**

a companhia de navegação   *the shipping line*
um cruzeiro   *a cruise*

VIAGENS TRAVELS

o porto   *the harbor*
o cais   *the dock*
o estaleiro   *the shipyard*
um armazém   *a warehouse*
o quebra-mar   *the mole*
um barco   *a boat*
um navio   *a ship*
um cargueiro   *a freighter*
um rebocador   *a tug-boat*
o barco salva-vidas   *the lifeboat*
o colete salva-vidas   *the lifejacket*
o salão   *the lounge*
o bar   *the bar*
a sala de jantar   *the dining room*
a sala de jogos   *the playroom*
o camarote   *the cabin*
o beliche   *the berth*
a vigia   *the porthole*
a passarela   *the gangway*
a escada   *the ladder*
o convés   *the deck*
o capitão   *the captain*
o camaroteiro   *the steward*
o marinheiro   *the sailor*
a carga   *the shipment*
o guindaste   *the crane*
o baú   *the trunk*
o farol   *the lighthouse*
o mar   *the sea*
uma ilha   *an island*
a terra   *the land*
o oceano   *the ocean*
a onda   *the wave*

a maré   *the tide*
a corrente   *the current, the stream*
a tempestade   *the storm*
as nuvens   *the clouds*
o céu   *the sky*
os destroços   *the wreck*

* * *

enjoado   *seasick*
profundo   *deep*
raso   *shallow*
agitado   *rough*
liso   *smooth*

* * *

embarcar   *to embark*
navegar   *to sail*
afundar   *to sink*
remar   *to row*

De Trem   *By Train*

o trem   *the train*
a estação   *the station*
a plataforma   *the platform*
a sala de espera   *the waiting-room*
o bufê   *the buffet*
a entrada   *the entrance*
a saída   *the exit*
a bilheteria   *the ticket office*
o depósito de bagagens   *the left-luggage office, baggage room*
a entrega   *the deposit*
a retirada   *the withdrawal*
as informações   *the information office*
a banca de jornais   *the news-stand*

VIAGENS   TRAVELS

o horário   *the time-table*
o chefe da estação   *the stationmaster*
o carregador   *the porter*
o cobrador   *the ticket collector*
a porta   *the door*
a rede de bagagens   *the luggage-rack*
o assento   *the seat*
a janela   *the window*
a cortina   *the blind*
o estribo   *the footboard*
o vagão-leito   *the sleeping-car*
o vagão-restaurante   *the dining-car*
o corredor   *the corridor*
o compartimento   *the compartment*
os trilhos   *the rails*
as agulhas   *the points*
o sinal   *the sign*
um dormente   *a sleeper*
a via férrea   *the track*
o pára-choque   *the buffer stop*
a carga   *the freight*
o túnel   *the tunnel*
a passagem de nível   *the level-crossing*

* * *

perder o trem   *to miss the train*
partir   *to leave*
ter pressa   *to be in a hurry*
parar   *to stop*
esperar   *to wait*
estar atrasado   *to be late*

De Carro — By Car

o motorista   *the driver*
a carteira de motorista   *the driving license*
o passageiro   *the passenger*
o pedestre   *the pedestrian*
a estrada   *the road*
a auto-estrada   *the highway*
o carro   *the car*
o caminhão   *the truck*
o ônibus   *the bus*
a motocicleta   *the motorbike*
a carroceria   *the body*
o pára-choque   *the bumper*
o pára-brisa   *the windshield*
os limpadores de pára-brisa   *the windshield wipers*
a roda   *the wheel*
a calota   *the hub*
um pneu   *a tire*
o furo   *the puncture*
o estepe   *the spare wheel*
a pressão dos pneus   *the tire pressure*
o macaco   *the jack*
o porta-malas   *the trunk*
as portas   *the doors*
a placa   *the number plate*
a fechadura   *the lock*
a maçaneta   *the door-handle*
os bancos   *the seats*
o cinto de segurança   *the seat-belt*
o capô   *the hood*
o volante   *the steering-wheel*
um botão   *a knob*

VIAGENS TRAVELS

o afogador   *the choke*
o pisca-pisca   *the direction indicator*
a chave de ignição   *the ignition key*
os pedais   *the pedals*
os freios   *the brakes*
o breque de mão   *the hand brake*
o acelerador   *the accelerator*
a embreagem   *the clutch*
o câmbio   *the gearbox*
a alavanca de marchas   *the gearlever*
as marchas   *the gears*
a ré   *the reverse gear*
a buzina   *the horn*
o interruptor   *the switch*
o velocímetro   *the speedometer*
a velocidade   *the speed*
os faróis   *the headlights*
o tanque   *the tank*
a gasolina   *gas*
um posto de gasolina   *a gas station*
a bomba de gasolina   *the gas pump*
o motor   *the engine*
a vareta do óleo   *the dipstick*
o óleo   *the oil*
as velas   *the spark plugs*
os cilindros   *the cylinders*
o cabeçote   *the head*
as válvulas   *the valves*
o carburador   *the carburetor*
o radiador   *the radiator*
a ventoinha   *the fan*
a correia   *the fanbelt*
a bateria   *the battery*

3.500 PALAVRAS EM INGLÊS

os amortecedores   the shock absorbers
as molas   the springs
a suspensão   the suspension
a transmissão   the transmission
o escapamento   the exhaust pipe
o estacionamento   the parking
um acidente   a crash
a pane   the breakdown
o vazamento   the leak
o mecânico   the mechanic

* * *

potente   powerful
rápido   fast
devagar   slow
cheio   full
vazio   empty
seguro   safe
perigoso   dangerous
escorregadio   slippery
seco   dry
molhado   wet
conversível   convertible
errado   wrong
certo   right
novo   new
usado   second hand

* * *

dar partida   to start
dirigir   to drive
acelerar   to accelerate
brecar   to brake
parar   to stop
estacionar   to park

VIAGENS TRAVELS

mudar as marchas *to change gear*
virar *to turn*
reduzir a velocidade *to slow down*
ultrapassar *to overtake*
derrapar *to skid*
guinar *to swerve*
guinchar *to tow*
quebrar *to break*
consertar *to fix, to repair*
verificar *to overhaul, to check*
encher o tanque *to fill the tank*
bater *to hit, to bump*

FÉRIAS
HOLIDAYS

No Hotel *At the Hotel*

um hotel *a hotel*
a recepção *the reception desk*
o elevador *the elevator, lift*
o andar *the floor*
a chave *the key*
um quarto *a room*
a cama *the bed*
uma cama de casal *a double bed*
o lençol *the sheet*
um travesseiro *a pillow*
o colchão *the mattress*
o cobertor *the blanket*
uma cômoda *a chest of drawer*
uma gaveta *a drawer*
um armário *a cupboard*
o cabide *the coat-hanger*
o espelho *the mirror*
a lâmpada *the light*
a mesa *the table*
a cadeira *the chair*
a poltrona *the armchair*
o banheiro *the bathroom*
a ducha *the shower*
a pia *the washbasin*
a privada *the toilet*
a descarga *the flush*
a torneira *the tap*
a água *the water*

FÉRIAS   HOLIDAYS

a toalha   *the towel*
o sabão   *the soap*
a escova de dente   *the toothbrush*
a pasta de dente   *the toothpaste*
o cinzeiro   *the ashtray*
a bandeja   *the tray*
a tomada   *the plug*
o café da manhã   *the breakfast*
o almoço   *the lunch*
o jantar   *the dinner*

* * *

espaçoso   *roomy*
grande   *large*
pequeno   *small*
confortável   *comfortable*
agradável   *nice*
feio   *ugly*
horrível   *awful*
chique   *smart*

* * *

descansar   *to rest*
sentar   *to sit*
dormir   *to sleep*
sonhar   *to dream*
comer   *to eat*
puxar   *to pull*
empurrar   *to push*

No Restaurante
At the Restaurant

o restaurante   *the restaurant*
o porteiro   *the doorman*
a porta giratória   *the revolving door*

o terraço   the terrace
o bar   the bar-room
o balcão   the bar
o garçom do bar   the bartender
a garçonete do bar   the barmaid
uma cadeira de bar   a bar-stool
o maitre   the headwaiter
o garçom   the waiter
a bandeja   the tray
a garçonete   the waitress
a mesa   the table
a cadeira   the chair
a toalha de mesa   the table-cloth
o guardanapo   the napkin
o garfo   the fork
a faca   the knife
a colher   the spoon
o prato   the plate
um copo   a glass
uma jarra   a jug
um bule de chá   a tea-pot
a manteigueira   the butterdish
o açucareiro   the sugarbowl
o cesto de pão   the bread basket
o pires   the saucer
a xícara   the cup
o menu   the menu
a lista dos vinhos   the wine list
uma refeição   a meal
uma bebida   a drink
um canudo   a straw
um palito de dente   a toothpick
uma garrafa   a bottle

o saca-rolhas   *the corkscrew*
a rolha   *the cork*
o cozinheiro   *the cook, the chef*
o aperitivo   *the appetizer*
o prato   *the course*
a salada   *the salad*
o hors d'oeuvre   *the hors d'oeuvre*
a sobremesa   *the dessert*
a comida   *the food*
a conta   *the check, the bill*
a gorjeta   *the tip*

Comida   Food

a carne   *meat*
a carne bovina   *beef*
um bife   *a steak*
a carne de porco   *pork*
uma costeleta   *a chop*
a carne de cordeiro   *lamb*
o carneiro   *mutton*
o rim   *kidney*
o fígado   *liver*
o presunto   *ham*
o frango   *chicken*
o pato   *duck*
o peru   *turkey*
a perdiz   *partridge*
o faisão   *pheasant*
uma salsicha   *a sausage*
uma carne assada   *a roast beef*
uma carne cozida   *a boiled meat*
um guisado   *a stew*
a língua   *the tongue*

3.500 PALAVRAS EM INGLÊS

o escargô *escargot*
a rã *frog*
o peixe *fish*
a pescada *hake*
o bacalhau *cod*
a enguia *eel*
o atum *tuna fish*
o arenque *herring*
a sardinha *sardine*
a truta *trout*
o linguado *sole*
os mariscos *shellfish*
os camarões *shrimps*
as ostras *oysters*
os mexilhões *mussels*
a lula *squid*
o polvo *octopus*
a lagosta *lobster*
o caranguejo *crab*

* * *

os legumes *vegetables*
o milho *corn*
o arroz *rice*
a batata *potato*
o feijão *bean*
o repolho *cabbage*
a cenoura *carrot*
o tomate *tomato*
o pepino *cucumber*
a beterraba *beetroot*
a couve-flor *cauliflower*
o aspargo *asparagus*
a alface *lettuce*

FÉRIAS HOLIDAYS

o alho-poró *leek*
a cebola *onion*
a vagem *string bean*
a ervilha *green pea*
o espinafre *spinach*
o cogumelo *mushroom*
o rabanete *radish*

* * *

as frutas *fruits*
o abacaxi *pineapple*
a banana *banana*
a uva *grape*
a maçã *apple*
a laranja *orange*
a mexerica *tangerine*
o melão *melon*
a melancia *water-melon*
o morango *strawberry*
o figo *fig*
o grapefruit *grapefruit*
a groselha *currant*
a framboesa *raspberry*
a amora *blackberry*
a cereja *cherry*
o pêssego *peach*
a pêra *pear*
o damasco *apricot*
as amêndoas *almonds*
a tâmara *date*
a ameixa *plum*
o caroço *the pit*

* * *

3.500 PALAVRAS EM INGLÊS

uma bebida   *a drink*
uma pedra de gelo   *an ice-cube*
a água   *the water*
uma água mineral   *a mineral water*
um suco de fruta   *a fruit juice*
um refrigerante   *a refreshment*
um vinho   *a wine*
um champanhe   *a champagne*
uma cerveja   *a beer*
uma cidra   *a cider*
uma limonada   *a lemonade*
uma laranjada   *an orange juice*
uma bebida alcoólica   *an alcoholic drink*
uma bebida não alcoólica   *a soft drink*
um licor   *a liqueur*
um conhaque   *a brandy*
um gim   *a gin*
um vinho de Porto   *a Port*
um uísque   *a whisky*
o leite   *milk*
o café   *coffee*
o chá   *tea*
o chocolate   *chocolate*

* * *

o sal   *salt*
a pimenta   *pepper*
a mostarda   *mustard*
o vinagre   *vinegar*
o óleo   *oil*
o molho   *the gravy*
a manteiga   *butter*
o creme   *the cream*
a margarina   *the margarine*

FÉRIAS   HOLIDAYS

o pão   *bread*
um filão   *a loaf*
um pão de forma   *a sandwich loaf*
um pãozinho   *a roll*
uma fatia, um pedaço   *a slice*
as migalhas   *the crumbs*
a massa   *the noodles*
a farinha   *the flour*
um ovo   *an egg*
um bolo   *a cake*
uma torta   *a pie*
um bolo inglês   *a pyramid cake*
uma rosquinha   *a doughnut*
uma bomba   *an éclair*
um bolinho   *a cookie*
um rocambole   *a roly-poly*
uma omelete   *an omelet*
um queijo   *a cheese*
uma bolacha   *a biscuit*
batatas fritas   *french fries*
uma sopa   *a soup*
um caldo   *a broth*
os temperos   *the spices*
o alho   *garlic*
a cebolinha   *parsley*
um sanduíche   *a sandwich*
o lanche   *the snack*
o sorvete   *the ice-cream*
a geléia   *the jam*
a sede   *thirst*
a fome   *hunger*
um regime   *a diet*

* * *

3.500 PALAVRAS EM INGLÊS

frito *fried*
cozido *boiled, cooked*
mal passado *underdone*
pouco passado *rare*
ao ponto *medium*
bem passado *well done*
assado *roasted*
grelhado *broiled*
cru *raw*
gostoso *tasty*
delicioso *delicious*
bom *good*
ruim *bad*
macio *tender*
duro *hard*
maduro *ripe*
saudável *wholesome, healthy*
doce *sweet*
amargo *bitter*
azedo *sour*
fresco *fresh*
podre *rotten*
gorduroso *greasy*

* * *

cozinhar *to cook*
ferver *to boil*
fritar *to fry*
assar *to bake, to roast*
grelhar *to grill, to broil*
preparar *to prepare*
cortar *to cut, to carve*
descascar *to peel, to shell*
queimar *to burn*

FÉRIAS HOLIDAYS

comer *to eat*
experimentar *to taste*
mastigar *to chew*
engolir *to swallow*
gostar *to like*
digerir *to digest*
beber *to drink*
bebericar *to sip*
estar com fome *to be hungry*
estar com sede *to be thirsty*
morrer de fome *to starve*
engordar *to fatten*
emagrecer *to grow thin*
servir *to serve, to wait on*
servir-se *to serve oneself, to help oneself*

COMPRAS
SHOPPING

um shopping center   *a shopping mall*
uma loja   *a shop, a store*
um grande magazine   *a department store*
a drogaria   *the drugstore*
a joalheria   *the jewelry shop*
a padaria   *the bakery*
o açougue   *the butcher's shop*
a papelaria   *the stationery, paper-shop*
a mercearia   *the grocery*
a loja de ferragens   *the hardware store*
a livraria   *the bookstore*
o supermercado   *the supermarket*
a confeitaria   *the candy shop*
a lavanderia   *the laundry*
uma loja de roupas   *a garment store*
a tabacaria   *the tobacco shop*
a floricultura   *the florist's shop*
uma loja de discos   *a record store*
o cabeleireiro   *the hairdresser*
o barbeiro   *the barber*
o chaveiro   *the locksmith*
o sapateiro   *the shoemaker*
o encanador   *the plumber*
o pintor   *the painter*
o eletricista   *the electrician*
o marceneiro   *the joiner*

* * *

COMPRAS SHOPPING

o balcão   *the counter*
a vitrine   *the window*
a exposição   *the display*
a caixa   *the cashdesk*
a mercadoria   *the goods*
um produto   *a product*
um artigo   *an item*
uma liquidação   *a sale*
uma pechincha   *a bargain*
um vendedor   *a salesman*
uma vendedora   *a salesgirl*
um comerciante   *a shopkeeper*
um freguês   *a customer*
o dinheiro   *the money*
uma nota   *a banknote*
uma moeda   *a coin*
o troco   *the change*
um talão de cheque   *a check-book*
um cheque   *a check*
um cartão de crédito   *a credit card*
um pacote   *a parcel*
um saco de compras   *a shopping-bag*

* * *

comprar   *to buy*
vender   *to sell*
escolher   *to choose*
mostrar   *to show*
atender   *to serve*
encomendar   *to order*
entregar   *to deliver*
embrulhar   *to wrap*
pesar   *to weigh*

Roupas *Clothes*

uma meia *a sock*
meias de mulher *stockings*
uma meia-calça *tights, panty-hose*
um chinelo *a slipper*
um sapato *a shoe*
uma bota *a boot*
um tênis *a tennis shoe*
as sandálias *the sandals*
a ponta *the toe*
a biqueira *the toe-cap*
os laços *the laces*
os ilhoses *the lace holes*
a lingüeta *the tongue*
as costuras *the seams*
o salto *the heel*
a sola *the sole*
roupa de baixo *underwear*
uma cueca *underpants*
uma calcinha *panties*
um sutiã *a bra*
uma camiseta *a t-shirt*
uma calça *pants, trousers*
um bolso *a pocket*
a braguilha *the fly*
a prega *the crease*
um cinto *a belt*
a fivela *the buckle*
os suspensórios *the suspenders, braces*
uma saia *a skirt*
um vestido *a dress*
uma camisa *a shirt*
o punho *the cuff*

COMPRAS   SHOPPING

uma gravata   *a tie*
uma gravata borboleta   *a bow-tie*
um terno   *a suit*
uma blusa   *a blouse*
uma malha   *a sweater*
a gola   *the collar*
um cachecol   *a scarf*
um lenço de pescoço   *a neckerchief*
um lenço de nariz   *a handkerchief*
o colete   *the waistcoat, the vest*
o botão   *the button*
a casa de botão   *the buttonhole*
um zíper   *a zip-fastener*
um macacão   *an overall*
um avental   *an apron*
o casaco   *the coat*
o casaco de pele   *the fur coat*
o paletó   *the jacket*
a capa de chuva   *the raincoat*
o chapéu   *the hat*
o chapéu coco   *the bowler hat*
um boné   *a cap*
uma boina   *a beret*
as luvas   *the gloves*
o pijama   *the pyjamas*
a camisola   *the night-gown*
o roupão   *the dressing-gown*
a roupa de banho   *the swim suit*
as mangas   *the sleeves*
o colarinho   *the collar*
uma costura   *a seam*
uma bainha   *a hem*
o forro   *the lining*

3.500 PALAVRAS EM INGLÊS

o tecido   *the fabric*
o tamanho   *the size*
o algodão   *cotton*
a lã   *wool*
a seda   *silk*
o linho   *linen*
o bordado   *the embroidery*
a renda   *lace*
a linha   *the thread*
um dedal   *a thimble*
um carretel   *a reel*
uma agulha   *a needle*
um alfinete   *a pin*
uma tesoura   *shears, scissors*

* * *

grande   *large*
pequeno   *small*
apertado   *tight*
estreito   *narrow*
largo   *loose*
curto   *short*
comprido   *long*
elegante   *smart, elegant*
na moda   *fashionable, trendy*
clássico   *classic*
moderno   *modern*
atualizado   *up-to-date*
desatualizado   *out-of-date, old fashioned*
estampado   *printed*
liso   *plain*
listrado   *striped*
manchado   *stained*
rasgado   *torn*

pregueado, franzido *pleated*

* * *

vestir *to wear*
vestir-se *to get dressed*
tirar a roupa, despir-se *to take off one's clothes, to undress*
pôr *to put on*
experimentar *to try on*
estar do tamanho certo *to fit*
ficar bem *to suit*
lavar *to wash*
encolher *to shrink*
passar *to iron*
rasgar *to tear*
furar *to make a hole*
costurar *to sew*
abainhar *to hem*
remendar *to mend, to patch*
pregar *to stitch on*
tingir *to dye*

Som *Hi-Fi*

um disco *a record*
uma fita *a tape*
um compact-disco *a compact-disc*
a música *music*
a melodia *the tune*
uma canção *a song*
um sucesso *a hit*
o compositor *the composer*
um cantor *a singer*
a voz *the voice*
o regente *the conductor*

o coro   *the choir*
uma orquestra   *a band, an orchestra*
um grupo   *a group*
um músico   *a musician*
um piano   *a piano*
um violino   *a violin*
a trombeta   *the trumpet*
a flauta   *the flute*
o saxofone   *the saxophone*
o violão   *the guitar*
o contrabaixo   *the double bass*
a trompa   *the horn*
o tambor   *the drum*
a bateria   *the drums*
um tocador   *a player*
um toca-discos   *a record-player*
o sintonizador   *the tuner*
o amplificador   *the amplifier*
um toca-fitas   *a tape-deck*
um gravador   *a tape-recorder*
um aparelho de som   *a hi-fi*

* * *

lento   *slow*
rápido   *fast*
quente   *hot*
legal   *cool*
agradável   *pleasant*

* * *

escutar   *to listen*
tocar   *to play*
gravar   *to record*

… COMPRAS   SHOPPING

Livros   *Books*

um livro   *a book*
um livro de bolso   *a pocket book*
um dicionário   *a dictionary*
um atlas   *an atlas*
um romance   *a novel*
o título   *the title*
o escritor   *the writer*
um poeta   *a poet*
o editor   *the publisher*
uma crítica   *a critique*
um crítico   *a critic*
um conto   *a short-story*
uma história, um conto   *a tale*
a ficção   *fiction*
a não-ficção   *non-fiction*
a poesia   *poetry*
uma tradução   *a translation*
a capa   *the cover*
a sobrecapa   *the wrapper, jacket*
a orelha   *the blurb*
a encadernação   *the binding*
a lombada   *the spine*
um capítulo   *a chapter*
uma letra minúscula   *a lower case*
uma letra maiúscula   *an upper case, a capital letter*
uma página   *a page*
um parágrafo   *a paragraph*
a margem   *the margin*
o espaçamento   *the spacing*
a linha   *the line*
a palavra   *the word*

a impressão   *the printing*
a trama   *the plot*
um personagem   *a character*
o estilo   *the style*
uma obra prima   *a masterpiece*

* * *

capa-dura   *hard-cover*
grosso   *thick*
esgotado   *out-of-print*
interessante   *interesting*
engraçado   *funny*
triste   *sad*
dramático   *dramatic*
chato   *boring*
emocionante   *moving*

* * *

ler   *to read*
escrever   *to write*
descrever   *to describe*
contar   *to tell*

Tabaco   *Tobacco*

um cigarro   *a cigarette*
o filtro   *the filter-tip*
um maço   *a pack*
uma caixa   *a box*
a marca   *the brand*
um charuto   *a cigar*
um corta-charutos   *a cigar-cutter*
um cachimbo   *a pipe*
o fornilho   *the bowl*
o tubo   *the stem*
a boquilha   *the mouth piece*

COMPRAS SHOPPING

o raspador de cachimbo   *the pipe scraper*
a piteira   *the cigarette holder*
os fósforos   *the matches*
o isqueiro   *the lighter*
a pedra   *the flint*
o cinzeiro   *the ashtray*
a fumaça   *the smoke*

* * *

fumar   *to smoke*
acender   *to light*
apagar   *to put out*

Lavanderia *Laundry*

a limpeza a seco   *dry cleaning*
a máquina de lavar   *the washing machine*
a máquina de secar   *the drier*
o sabão em pó   *the soap powder*
uma mancha   *a stain*
a goma   *the starch*
o ferro de passar   *the pressing iron*

* * *

molhado   *wet*
seco   *dry*
passado   *ironed*
amarrotado   *crumpled*

* * *

lavar   *to wash*
limpar   *to clean*
secar   *to dry*
passar   *to press, to iron*
molhar   *to make wet*
encharcar   *to soak*
engomar   *to starch*

Fotografia   *Photography*

a máquina fotográfica   *the camera*
o estojo   *the case*
a correia   *the strap*
o tripé   *the tripod*
o flash   *the flash*
o fotômetro   *the light meter*
o telêmetro   *the rangefinder*
o visor   *the view-finder*
o obturador   *the shutter*
o disparador   *the shutter release*
o disparador automático   *the self-timer*
o dispositivo de tempo de exposição   *the shutter-speed dial*
o sincronizador   *the synchronizer*
o regulador de diafragma   *the diaphragm ring*
a chave de inversão   *the reversing lever*
a lente   *the lens*
o anel   *the ring*
o diafragma   *the diaphragm*
o fole   *the bellows*
a focalização   *the focusing*
a alavanca   *the lever*
o botão   *the knob*
a filmadora   *the movie camera*
um filme   *a film*
um slide   *a slide*
preto e branco   *black and white*
um rolo   *a roll*
o carretel   *the spool*
o tamanho   *the size*
um negativo   *a negative*
uma ampliação   *an enlargement*

COMPRAS SHOPPING

uma revelação   *a development*
uma cópia   *a print*
uma fotografia   *a photograph, a picture*
um aparelho de vídeo   *a video-recorder*
uma fita de vídeo   *a video-tape*

* * *

ampliar   *to enlarge*
revelar   *to develop*
fotografar   *to take pictures*

Jóias   *The jewels*

um relógio   *a watch*
um colar   *a necklace*
um pingente   *a pendant*
um medalhão   *a locket*
um brinco   *an ear-ring*
um anel   *a ring*
uma aliança   *a wedding-ring*
uma pulseira , um bracelete   *a bangle, a bracelet*
um broche   *a brooch*
uma abotoadura   *a cuff link*
uma pedra preciosa   *a gem, a stone*
um diamante   *a diamond*
uma esmeralda   *an emerald*
um rubi   *a ruby*
uma safira   *a sapphire*
a prata   *silver*
o ouro   *gold*
uma pérola   *a pearl*
o joalheiro   *the jeweler*

* * *

lapidar   *to cut*
avaliar   *to value*

Correio e Telefone
Post-office and Telephone

uma caixa de correio   *a mailbox*
uma carta   *a letter*
um cartão postal   *a postcard*
um envelope   *an envelope*
a aba   *the flap*
a borda   *the edge*
o papel   *the paper*
o cabeçalho   *the heading*
um selo   *a stamp*
a franquia   *the postage*
o endereço   *the address*
um telegrama   *a telegram*
um pacote   *a parcel, a package*
o carteiro   *the postman, the mail man*
o correio   *the mail, post*
um vale postal   *a postal money order*
o recolhimento   *the collection*
a distribuição   *the delivery*
o telefone   *the telephone, phone*
o gancho   *the receiver rest*
o receptor   *the receiver, the ear-piece*
o transmissor   *the transmitter, mouth piece*
o disco   *the dial*
a cabine telefônica   *the phone booth*
uma chamada, uma ligação   *a call*
o número   *the number*
o código   *the code*
a linha   *the line*

a lista telefônica   *the phone directory*
uma resposta   *an answer*

***

registrado   *registered*
ocupado   *busy*
livre   *free*
interurbano   *long-distance*
local   *local*
a cobrar   *collect*

***

mandar   *to send*
postar   *to post, to mail*
receber   *to receive*
recolher   *to collect*
entregar   *to deliver*
telefonar   *to phone*
ligar, chamar   *to call*
discar   *to dial*
responder   *to answer*
desligar   *to hang up*
tocar   *to ring*

Supermercado   *Supermarket*

uma lata   *a can*
uma garrafa   *a bottle*
uma caixa   *a box*
um pacote   *a pack*
as frutas   *fruit*
os legumes   *vegetables*
as carnes   *meat*
os laticínios   *dairy*
os produtos de limpeza   *cleaning products*

Papelaria — *Stationery*

o papel   *the paper*
o papel de embrulho   *the wrapping paper*
um caderno   *an exercise book*
um bloco de papel   *a notebook*
uma folha   *a sheet*
um envelope   *an envelope*
a caneta esferográfica   *the ballpoint pen*
uma caneta-tinteiro   *a fountain-pen*
uma carga   *a refill*
um lápis   *a pencil*
uma lapiseira   *a pencil-case*
um apontador (de lápis)   *a pencil-sharpener*
uma régua   *a ruler*
a tinta   *the ink*
o mata-borrão   *the blotting-paper*
uma borracha   *a rubber*
a cola   *the glue*
os percevejos   *the drawing pins*
os clipes   *the paper clips*
uma tesoura   *scissors, shears*
um grampo   *a staple*
um grampeador   *a stapler*
um carimbo   *a rubber-stamp*

Drogaria — *Drugstore*

o farmacêutico   *the chemist*
a receita   *the prescription*
o medicamento   *the medicine*
a pomada   *the ointment*
os comprimidos   *the pills, the tablets*
as pastilhas   *the pastilles*
o esparadrapo   *the adhesive plaster*

COMPRAS SHOPPING

o algodão   *the cotton wool*
a gaze   *the lint*
a atadura   *the bandage*
um creme   *a cream*
uma loção   *a lotion*
o perfume   *the perfume*
um desodorante   *a deodorant*
o creme de barbear   *the shaving cream*
um barbeador   *a razor*
uma lâmina   *a blade*
a pasta de dente   *the toothpaste*
a escova de dente   *a tooth brush*
a escova   *the brush*
o pente   *the comb*
a lixa   *the file*
a maquilagem   *the make-up*
o batom   *the lipstick*
o esmalte   *the nail polish, nail enamel*
um grampo de cabelo   *a hair pin*
uma fivela de cabelo   *a hair buckle*
um creme de bronzear   *a solar cream*
um sabão   *a soap*

Ferragens   *Hardware*

uma ferramenta   *a tool*
um martelo   *a hammer*
a enxada   *the hoe*
a picareta   *the pick-axe*
uma furadeira   *a boring tool*
uma broca   *a drill*
um trado   *a gimlet*
uma plaina   *a plane*
uma chave de fenda   *a screwdriver*

uma chave de boca   *a spanner, a wrench*
um alicate   *pincers*
uma lima   *a file*
um buril   *a chisel*
a tinta   *the paint*
um revólver de tinta   *a spray gun*
uma lata   *a pot*
um tubo   *a tube*
um pincel, uma broxa   *a paint brush*
um cavalete   *an easel*
uma paleta   *a palette*
uma raspadeira   *a scraper*
um prego   *a nail*
um parafuso   *a screw, a bolt*
uma porca   *a nut*
uma cavilha   *a locknut*
o filete de rosca   *the thread*
a cabeça   *the head*
uma borboleta   *a wing-nut*
uma arruela   *a washer*
uma pá   *a shovel*
uma trolha   *a trowel*
uma serra   *a saw*
uma escada   *a ladder*
uma mangueira   *a hose*
um regador   *a watering-can*
um balde   *a pail, bucket*
uma vassoura   *a broom*

Flores   *Flowers*

um buquê   *a bunch*
a pétala   *the petal*
o caule   *the stem*

COMPRAS SHOPPING

o espinho *the thorn*
o broto *the bud*
uma orquídea *an orchid*
uma rosa *a rose*
uma margarida *a daisy*
uma tulipa *a tulip*
um cravo *a carnation*
um junquilho *a daffodil*
um lilás *a lilac*
um lírio *a lily*
o aroma *the scent*

* * *

florescer *to bloom*
murchar *to wither*

NA PRAIA
AT THE BEACH

a praia   *the beach*
a areia   *the sand*
um seixo   *a pebble*
a duna   *the dune*
o mar   *the sea*
o oceano   *the ocean*
a costa   *the coast*
uma península   *a peninsula*
uma baía   *a bay*
um banco de areia   *a sand-bank*
um estuário   *an estuary*
a ressaca   *the surf*
uma lagoa   *a lagoon*
a areia movediça   *the quicksand*
a onda   *the wave*
a maré   *the tide*
um rio   *a river*
a margem   *the bank*
uma cachoeira   *a waterfall*
a roupa de banho   *the swimsuit*
a toalha   *the towel*
a esteira   *the mat*
o guarda-sol   *the sunshade*
a cadeira de praia   *the deck-chair*
os óculos de sol   *the sunglasses*
um chapéu   *a hat*
a concha   *the seashell*
o balde   *the bucket*
a pá   *the spade*

NA PRAIA AT THE BEACH

um castelo de areia *a sandcastle*
um veleiro *a sailing-boat*
a cabina *the cabin*
o leme *the helm, the rudder*
a quilha *the keel*
o mastro *the mast*
a vela *the sail*
uma lancha *a motor-boat*
o motor de popa *the outboard-motor*
uma canoa *a canoe*
um remo *an oar*
uma bóia *a buoy*
um peixe *a fish*
a pesca *fishing*
a rede *a net*
a vara de pescar *the fishing-rod*
a linha de pescar *the fishing line*
o anzol *the hook*
o esqui aquático *water skiing*
a prancha de surfe *the surfboard*
a roupa de mergulho *the diving-suit*

* * *

limpo *clean*
sujo *dirty*
transparente *clear*
turvo *muddy*
poluída *polluted*

* * *

nadar *to swim*
jogar *to play*
tomar banho *to bathe*
mergulhar *to dive*
bronzear *to tan*

3.500 PALAVRAS EM INGLÊS

pular   *to jump*
pescar   *to fish*
pegar   *to catch*

NA MONTANHA
IN THE MOUNTAIN

a montanha   *the mountain*
a vertente, a encosta   *the slope, the side*
uma saliência   *an overhang*
uma falha   *a crevice*
um pico   *a peak*
a crista   *the crest*
uma serra   *a mountain-range*
um maciço   *a massif*
a escarpa   *the escarpment*
um penhasco   *a cliff*
um precipício   *a precipice*
uma passagem   *a pass*
uma cratera   *a crater*
um vulcão   *a volcano*
uma trilha   *a trail*
o cume   *the top*
a neve   *the snow*
o gelo   *the ice*
a geleira   *the glacier*
um alpinista   *a mountain climber*
um esquiador   *a skier*
um patinador   *a skater*
um trenó   *a sledge*
um esqui   *a ski*
um bastão   *a pole*
um patim   *a skate*
uma pista de patinação   *a skating-rink*
um teleférico   *a cable-car*
o elevador de esqui   *the ski-lift*

3.500 PALAVRAS EM INGLÊS

um chalé   *a chalet*
uma estação de esqui   *a ski-resort*
um abrigo   *a shelter*

* * *

alto   *high*
baixo   *low*
frio   *cold*
gelado   *freezing, icy*
glacial   *glacial*
para cima   *up*
para baixo   *down*

* * *

deslizar   *to slide*
escorregar   *to slip*
saltar   *to jump*
esquiar   *to ski*
patinar   *to skate*
esquentar   *to warm up*
cair   *to fall*
levantar   *to get up*
gear   *to frost*
gelar   *to freeze*
derreter   *to melt*

NA RUA
IN THE STREET

uma rua *a street*
uma avenida *an avenue*
uma praça *a square*
a calçada *the side-walk*
a borda *the curb*
a sarjeta *the gutter*
um bueiro *a drain*
o esgoto *the sewer*
o trânsito *the traffic*
a poluição *the pollution*
um engarrafamento *a traffic-jam*
o sinal luminoso *the traffic-light*
os sinais de trânsito *the roadsigns*
um túnel *a tunnel*
um cruzamento *a crossing*
a faixa de pedestres *the crosswalk*
a multidão *the crowd*
um pedestre *a pedestrian*
um policial *a policeman*
um carro *a car*
um ônibus *a bus*
uma caminhonete *a van*
um caminhão *a truck*
uma motocicleta *a motorbike*
uma mobilete *a moped*
uma bicicleta *a bicycle*
um poste de luz *a street-light*
uma lata de lixo *a garbage can, waste bin*
um cartaz *a poster, a placard*

3.500 PALAVRAS EM INGLÊS

um edifício   *a building*
um arranha-céu   *a skyscraper*
uma casa   *a house*
as lojas   *the stores*
os monumentos   *the monuments*
um museu   *a museum*
uma igreja   *a church*
uma catedral   *a cathedral*
uma escola   *a school*
uma universidade   *an university*
o correio   *the post-office*
uma caixa de correio   *a mail box*
uma cabine telefônica   *a phone-booth*
um posto de gasolina   *a gas-station*
um cinema   *a movie-theater*
um teatro   *a theater*
um grande magazine   *a department store*
um hospital   *the hospital*
uma banca de jornais   *a news-stand*
um parque   *a park*
uma biblioteca   *a library*
um bar   *a bar*
um boteco   *a café*
um restaurante   *a restaurant*
uma boate   *a night-club*
o hotel   *the hotel*
um banco   *a bank*
um escritório   *an office*
uma agência   *an agency*
uma estação de metrô   *a subway station*
um ponto de ônibus   *a bus stop*
o centro   *downtown*
o subúrbio   *the suburb*

NA RUA IN THE STREET

o bairro   *the area*
um cortiço   *a slum*
a favela   *the shanty town*

* * *

barulhento   *noisy*
tranqüilo   *quiet*
impressionante   *impressive*
animado   *lively*
charmoso   *charming*
perigoso   *dangerous*
seguro   *safe*
agradável   *pleasant*
histórico   *historical*

* * *

andar   *to walk*
estar com pressa   *to be in a hurry*
visitar   *to visit*
atravessar   *to cross*
parar   *to stop*
construir   *to build*
demolir   *to pull down*
proibir   *to forbid*
sujar   *to litter*
passear   *to stroll*

Diversões   *Entertainment*

o cinema   *the movie theater*
a bilheteria   *the box-office*
um filme   *a movie*
a estrela   *the star*
um ator   *an actor*
uma atriz   *an actress*
o dublê   *the stuntman*

o diretor   *the director*
o roteirista   *the scriptwriter*
o roteiro   *the script*
a trama   *the plot*
um papel   *a part*
a música   *the score*
um filme de faroeste   *a western*
uma comédia   *a comedy*
um drama   *a drama*
um policial   *a thriller*
um filme de terror   *a terror movie*
um musical   *a musical*
um documentário   *a documentary*
um desenho   *a cartoon*
a dublagem   *the dubbing*
as legendas   *the subtitles*
a propaganda   *the advertising*
a tela   *the screen*
o lugar   *the seat*
a espetáculo   *the show*
a ribalta   *the footlights*
o cenário   *the scenery*
a platéia   *the stalls*
uma fileira   *a row*
a cortina   *the curtain*
o palco   *the stage*
o teatro   *the theater*
uma peça   *a play*
o autor   *the playwright*
o ensaio   *the rehearsal*
os bastidores   *the backstage*
um camarim   *a dressing-room*
o ponto   *the prompter*

NA RUA IN THE STREET

um camarote *a box*
o intervalo *the interval, intermission*
um sucesso *a hit*
um fracasso *a flop*
a ópera *the opera*
o cantor *the singer*
o balé *the ballet*
a dança *the dance*
um bailarino *a dancer*
um concerto *a concert*
a sala de concerto *the concert-hall*
a orquestra *the orchestra*
o regente *the conductor*
o músico *the musician*

* * *

emocionante *moving*
chato *boring*
divertido *entertaining*
engraçado *funny*
agradável *nice*
famoso *famous*
ao vivo *live*

* * *

representar *to act, to perform*
aplaudir *to applaud, to clap hands*
ver *to see*
gostar *to like*
empolgar *to thrill*

NO CAMPO
IN THE COUNTRY

o campo   *the country*
uma aldeia   *a village*
uma vila   *a hamlet*
a igreja   *the church*
o campanário   *the steeple, the belfry*
um pára-raios   *a lightning conductor*
o sino   *the bell*
o pastor   *the parson, vicar*
o pároco   *the parish priest*
a praça   *the square*
o chafariz   *the fountain*
a prefeitura   *the town-hall*
o prefeito   *the mayor*
uma fazenda   *a farm*
um celeiro   *a barn*
um galpão   *a shed*
um portão   *a gate*
uma ripa   *a lath*
um pilar   *a post*
um fazendeiro   *a farmer*
um camponês   *a peasant*
um lavrador   *a tiller*
uma cerca   *a hedge, a fence*
um campo   *a field*
um poço   *a well*
uma bomba d'água   *a pump*

* * *

NO CAMPO   IN THE COUNTRY

um fertilizante   *a fertilizer*
a semente   *the seed*
um grão   *a grain*
um trator   *a tractor*
um arado   *a plough*
uma gadanha   *a scythe*
um forcado   *a pitch-fork*
um ancinho   *a rake*
o solo   *the soil*
a safra   *the crop*
a colheita   *the harvest*
um feixe   *a sheaf*
o trigo   *wheat*
o milho   *corn*
o algodão   *cotton*
a soja   *soybean*
o feijão   *bean*
a cana de açúcar   *sugar cane*
a cevada   *barley*
o lúpulo   *hops*
a aveia   *oat*
a grama   *the grass*

Pomar   *Orchard*

uma macieira   *an apple-tree*
uma ameixeira   *a plum-tree*
uma cerejeira   *a cherry-tree*
uma figueira   *a fig-tree*
um pessegueiro   *a peach-tree*
uma laranjeira   *an orange-tree*
um limoeiro   *a lemon-tree*
uma bananeira   *a banana-tree*
um prado   *a meadow*

a palha   *the straw*
o feno   *the hay*

Floresta   Forest

um rio   *a river, a stream*
um lago   *a pond*
o orvalho   *the dew*
um charco   *a moor, marsh*
uma flor   *a flower*
um cogumelo   *a mushroom*
o musgo   *the moss*
um bosque   *a wood*
uma árvore   *a tree*
um galho   *a branch*
uma folha   *a leaf*
as folhas   *the leaves*
o tronco   *the stem*
a casca   *the bark*
a seiva   *the sap*
a raiz   *the root*
o carvalho   *the oak*
a nogueira   *the walnut-tree*
um abeto   *a fir*
um pinho   *a pine*
um freixo   *an ash*
um castanheiro   *a chestnut-tree*
um salgueiro   *a willow*
um chorão   *a weeping-willow*
um eucalipto   *an eucalyptus*
uma moita   *a bush*
uma clareira   *a glade*
uma trepadeira   *an ivy*

NO CAMPO IN THE COUNTRY

uma palmeira   *a palm-tree*
um cipó   *a liana*

* * *

puro   *pure*
natural   *natural*
bonito   *beautiful*
fértil   *fertile*
estéril   *barren*
seco   *dry*
úmido   *wet*
silencioso   *silent*
cultivável   *arable*
solitário   *lonely*
isolado   *isolated*
doce   *sweet*

* * *

cultivar   *to grow*
semear   *to sow*
lavrar   *to plough, to till*
irrigar   *to irrigate*
colher   *to harvest*
ceifar   *to reap, to mow*
debulhar   *to thrash*
engavelar   *to sheaf, to bind*
afiar   *to whet, to sharpen*

Tempo e Estações
Time and Seasons

o tempo (hora)   *the time*
um segundo   *a second*
um minuto   *a minute*
uma hora   *an hour*
uma meia hora   *half an hour*

um relógio *a clock, a watch*
o ponteiro *the hand*
o mostrador *the dial*
a coroa *the winder*
um despertador *an alarm clock*
uma ampulheta *an hour-glass*
a manhã *the morning*
a tarde *the afternoon*
o começo *the beginning*
o fim *the end*
o fim da tarde, começo da noite *the evening*
a noite *the night*
um dia *a day*
hoje *today*
amanhã *tomorrow*
ontem *yesterday*
segunda-feira *monday*
terça-feira *tuesday*
quarta-feira *wednesday*
quinta-feira *thursday*
sexta-feira *friday*
sábado *saturday*
domingo *sunday*
uma semana *a week*
um fim de semana *a week-end*
quinze dias *a fortnight*
um mês *a month*
janeiro *january*
fevereiro *february*
março *march*
abril *april*
maio *may*
junho *june*

NO CAMPO IN THE COUNTRY

julho *july*
agosto *august*
setembro *september*
outubro *october*
novembro *november*
dezembro *december*
a estação *the season*
a primavera *spring*
o verão *summer*
o outono *autumn, fall*
o inverno *winter*
o calendário *the calendar*
o tempo *the weather*
a chuva *the rain*
a neve *the snow*
uma nuvem *a cloud*
a neblina *the fog, the mist*
a nebulosidade *the nebulosity*
o sol *the sun*
uma tempestade *a storm*
o frio *the cold*
o calor *the heat*
o gelo *ice*
uma geada *a frost*
um arco-íris *a rainbow*

***

cedo *early*
tarde *late*
próximo *next*
quente *warm, hot*
frio *cold*
gelado *freezing*
nublado *cloudy*

* * *
começar   *to begin*
acabar   *to end, to finish*
brilhar   *to shine*
chover   *to rain*
nevar   *to snow*
gear   *to frost*
gelar   *to freeze*

Animais   Animals

o galinheiro   *the poultry-yard*
uma galinha   *a hen*
o bico   *the beak*
um galo   *a cock*
um pinto   *a chick*
uma pomba   *a dove*
um pato   *a duck*
um ganso   *a goose*
um pavão   *a peacock*
um cisne   *a swan*
um peru   *a turkey*
a pena   *the feather*
a penugem   *the down*
a cavalariça   *the stable*
um cavalo   *a horse*
uma égua   *a mare*
um garanhão   *a stallion*
um potro   *a pony*
o casco   *the hoof*
a crina   *the mane*
o rabo   *the tail*
a pastagem   *the pasture*
o estábulo   *the cattle shed*

NO CAMPO — IN THE COUNTRY

o gado — *the cattle*
a vaca — *the cow*
o touro — *the bull*
o boi — *the ox*
o bezerro — *the calf*
o chifre — *the horn*
o couro — *the hide*
a pocilga — *the hog-pen*
um porco — *a pig, a hog*
uma porca — *a sow*
um porquinho — *a piglet*
um carneiro — *a sheep*
um carneiro macho — *a ram*
uma ovelha — *a ewe*
o cordeiro — *the lamb*
a cabra — *the goat*
o bode — *the he-goat*
o cabrito — *the kid*
um rebanho — *a herd, a flock*
o canil — *the kennel*
um bicho de estimação — *a pet*
o cachorro — *the dog*
o gato — *the cat*

* * *

criar — *to breed*
mugir — *to bellow*
latir — *to bark*
cacarejar — *to cackle*
relinchar — *to neigh*
alimentar — *to feed*

3.500 PALAVRAS EM INGLÊS

Animais Selvagens
Wild Animals

um macaco   *a monkey*
o pêlo   *the hair*
um tigre   *a tiger*
um leão   *a lion*
a pata   *the paw*
a garra   *the claw*
a toca   *the den*
uma onça   *a panther*
um elefante   *an elephant*
a tromba   *the trunk*
a presa   *the tusk*
um gorila   *a gorilla*
um crocodilo   *a crocodile*
uma girafa   *a giraffe*
um urso   *a bear*
uma raposa   *a fox*
um lobo   *a wolf*
um camelo   *a camel*
um cervo   *a stag*
uma corça   *a doe*
um veado   *a deer*
uma camurça   *a chamois*
uma lebre   *a hare*
um coelho   *a rabbit*
um ouriço   *a hedgehog*
um esquilo   *a squirrel*
uma lontra   *an otter*
um castor   *a beaver*
um canguru   *a kangaroo*
uma toupeira   *a mole*
um rato   *a mouse*

NO CAMPO   IN THE COUNTRY

uma ratazana   *a rat*
uma cobra   *a snake*
um pássaro   *a bird*
uma águia   *an eagle*
um falcão   *a hawk*
um abutre   *a vulture*
um papagaio   *a parrot*
um beija-flor   *a humming-bird*
uma coruja   *an owl*
um avestruz   *an ostrich*
um rouxinol   *a nightingale*
uma andorinha   *a swallow*
um melro   *a blackbird*
um corvo   *a crow, a raven*
uma gaivota   *a seagull*
um pardal   *a sparrow*
uma cegonha   *a stork*
um pica-pau   *a woodpecker*
um pingüim   *a penguin*
uma tartaruga   *a turtle, a tortoise*
um sapo   *a toad*
uma rã   *a frog*
um lagarto   *a lizard*
uma foca   *a seal*
uma baleia   *a whale*
um tubarão   *a shark*
um golfinho   *a dolphin*
uma nadadeira   *a fin*
um polvo   *an octopus*
uma água-viva   *a jelly fish*
um peixe   *a fish*
uma escama   *a scale*
um caranguejo   *a crab*

um inseto   *an insect*
uma mosca   *a fly*
um mosquito   *a mosquito*
uma abelha   *a bee*
uma colméia   *a beehive*
uma borboleta   *a butterfly*
uma mariposa   *a night butterfly*
uma traça   *a moth*
um besouro   *a beetle*
uma formiga   *an ant*
uma barata   *a cockroach*
uma aranha   *a spider*
uma teia de aranha   *a cobweb*
um gafanhoto   *a grasshopper*
um grilo   *a cricket*
uma lesma   *a caterpillar*
uma libélula   *a dragonfly*
um percevejo   *a bug*
uma joaninha   *a ladybird*
uma pulga   *a flea*
um piolho   *a louse*
piolhos   *lice*
um carrapato   *a tick*

* * *

selvagem   *wild*
manso   *tame*
carnívoro   *carnivorous*
herbívoro   *herbivorous*
feroz   *fierce, ferocious*
inofensivo   *harmless, inoffensive*
traiçoeiro   *treacherous*
livre   *free*
útil   *useful*

NO CAMPO IN THE COUNTRY

nocivo *noxious*
tímido *timorous, shy*
destemido *fearless*
peludo *hairy*
pesado *heavy*
ágil *swift*
esperto *cunning*
peçonhento *venomous, poisonous*

* * *

caçar a espreita *to stalk*
rapinar *to prey*
correr *to run*
pular *to jump*
voar *to fly*
nadar *to swim*
rastejar *to crawl*
devorar *to devour, to eat up*
alimentar *to feed*
espreitar *to lurk*
entocar-se *to burrow*
engodar *to lure*
morder *to bite*
picar, ferroar *to sting*
unhar *to scratch*
rugir *to roar*
uivar *to howl*
gorjear *to warble*

NO TRABALHO
AT WORK

Na Escola   At School

uma escola   *a school*
um jardim de infância   *a nursery school*
uma escola primária   *a primary school*
uma escola secundária   *a high-school*
um externato   *a day-school*
um pensionato   *a boarding-school*
um professor   *a teacher*
um aluno   *a pupil*
a sala de aula   *the classroom*
a lousa   *the blackboard*
um giz   *a piece of chalk*
o pano   *the duster*
a esponja   *the sponge*
a escrivaninha   *the desk*
a mesa   *the table*
uma cadeira   *a chair*
uma lição   *a lesson*
uma pergunta   *a question*
uma resposta   *an answer*
uma opinião   *an opinion*
um exercício   *an exercise*
um exemplo   *an example*
um problema   *a problem*
o sentido   *the meaning*
a solução   *the solution*
uma contradição   *a contradiction*
uma conclusão   *a conclusion*
um ditado   *a dictation*

NO TRABALHO AT WORK

a pontuação *the punctuation*
um ponto *a period*
uma vírgula *a comma*
um ponto de interrogação *a question-mark*
um erro *a mistake*
uma prova *a test*
um exame *an examination, an exam*
uma nota *a grade, a mark*

* * *

fácil *easy*
difícil *hard, difficult*
bom *good*
ruim *bad*
preguiçoso *lazy*
trabalhador *hard-working*
distraído *absent-minded*
inteligente *intelligent*
estúpido *stupid*
compreensível *understandable*
ininteligível *unintelligible*
agitado *restless*
tranqüilo *quiet*
obediente *obedient*
desobediente *disobedient*
falador *talkative*

* * *

entender *to understand*
aprender *to learn*
saber *to know*
esquecer *to forget*
estudar *to study*
significar *to mean*
concluir *to conclude*

comentar   *to comment*
perguntar   *to ask*
responder   *to answer*
resumir   *to sum up*
retomar, recomeçar   *to resume*
falar   *to speak, to talk*
escutar   *to listen*
escrever   *to write*
copiar   *to copy*
repetir   *to repeat*

Números   *Numbers*

um   *one*
dois   *two*
três   *three*
quatro   *four*
cinco   *five*
seis   *six*
sete   *seven*
oito   *eight*
nove   *nine*
dez   *ten*
onze   *eleven*
doze   *twelve*
treze   *thirteen*
catorze   *fourteen*
quinze   *fifteen*
dezesseis   *sixteen*
dezessete   *seventeen*
dezoito   *eighteen*
dezenove   *nineteen*
vinte   *twenty*
vinte e um   *twenty-one*

NO TRABALHO AT WORK

vinte e nove *twenty-nine*
trinta *thirty*
quarenta *forty*
cinqüenta *fifty*
sessenta *sixty*
setenta *seventy*
oitenta *eighty*
noventa *ninety*
cem *one hundred*
cento e um *one hundred and one*
duzentos *two hundred*
duzentos e um *two hundred and one*
trezentos *three hundred*
quatrocentos *four hundred*
quinhentos *five hundred*
seiscentos *six hundred*
setecentos *seven hundred*
oitocentos *eight hundred*
novecentos *nine hundred*
mil *one thousand*
dois mil *two thousand*
mil e um *one thousand and one*
mil e cem *one thousand one hundred*
um milhão *a million*
um bilhão *a billion*

* * *

o primeiro *the first*
o segundo *the second*
o terceiro *the third*
o quarto *the fourth*
o quinto *the fifth*
o sexto *the sixth*
o sétimo *the seventh*

o oitavo   *the eighth*
o nono   *the ninth*
o décimo   *the tenth*
o décimo primeiro   *the eleventh*
o décimo segundo   *the twelfth*
o décimo terceiro   *the thirteenth*
o vigésimo   *the twentieth*
o trigésimo   *the thirtieth*
o centésimo   *the hundredth*

* * *

contar   *to count*
adicionar   *to add*
subtrair   *to subtract*
multiplicar   *to multiply*
dividir   *to divide*

Negócios   Business

um escritório   *an office*
uma fábrica   *a factory*
uma companhia   *a company*
uma firma   *a firm*
um empregado   *a clerk*
o patrão   *the boss*
um empresário   *an undertaker*
uma recepcionista   *a receptionist*
um trabalhador   *a worker*
um capataz   *a foreman*
uma secretária   *a secretary*
um gerente   *a manager*
um contador   *an accountant*
um executivo   *an executive*
um engenheiro   *an engineer*
um advogado   *a lawyer*

NO TRABALHO   AT WORK

um corretor   *a broker*
uma nota fiscal   *a bill*
uma máquina de escrever   *a typewriter*
um telex   *a telex*
um computador   *a computer*
uma secretária eletrônica   *an answering-machine*
um telefone   *a telephone*
a venda   *the sale*
um comprador   *a buyer*
um vendedor   *a salesman*
um produto   *a product*
um pedido   *an order*
a entrega   *the delivery*
o entregador   *the delivery-man*
um recibo   *a receipt*
o orçamento   *the budget*
a renda   *the income*
as despesas   *the expenses*
o lucro   *the profit*
a perda   *the loss*
a recessão   *the recession*
uma dívida   *a debt*
uma prestação   *an installment*
uma conta   *an account*
o salário   *the wages, the salary*
um aumento   *a rise*
o sindicato   *the union*
o sindicalista   *the union member*
a greve   *the strike*
o desemprego   *unemployment*
a aposentadoria   *retirement*
os impostos   *the taxes*

a taxa de juro   *the interest rate*
um empréstimo   *a loan*
um crédito   *a credit, a trust*
uma profissão   *a profession, a trade*
um trabalho   *a job*
tempo integral   *full-time*
tempo parcial   *part-time*

* * *

lucrativo   *lucrative, profitable*
bruto   *gross*
líquido   *net*
eficiente   *efficient*
obsoleto   *obsolete*
poderoso   *powerful*
fraco   *weak*
duro   *tough*
fácil   *easy*
perigoso   *dangerous*
seguro   *safe*
arriscado   *risky*
hábil   *skillful*
desajeitado   *clumsy*

* * *

trabalhar   *to work*
ganhar dinheiro   *to earn money*
instruir, formar   *to train*
empreender   *to undertake*
dirigir   *to manage*
criar   *to create*
crescer   *to grow*
investir   *to invest*
fazer um empréstimo   *to take a loan*
emprestar   *to loan*

NO TRABALHO AT WORK

tomar emprestado *to borrow*
perder *to lose*
contratar *to hire*
promover *to promote*
demitir-se *to resign*
demitir *to dismiss, to fire*
fazer greve *to go on strike*
poupar *to save*
falir *to go bankrupt*

A MÍDIA
THE MEDIA

as notícias — *the news*
a imprensa — *the press*
o rádio — *the radio*
a televisão — *the television*
um jornal — *a newspaper*
uma revista — *a magazine*
uma agência de notícias — *a press-agency*
um canal de televisão — *a tv-channel*
os títulos — *the headlines*
um artigo — *an article*
uma entrevista — *an interview*
uma fotografia — *a picture*
uma reportagem — *a report*
um furo — *a scoop*
um editorial — *an editorial*
uma crítica — *a review*
os desenhos — *the comic strips*
os anúncios — *the classified ads*
a propaganda — *the advertisement*
uma seção — *a section*
uma página — *a page*
a primeira página — *the front page*
uma coluna — *a column*
uma assinatura — *a subscription*
um jornalista — *a journalist*
um repórter — *a reporter*
um fotógrafo — *a photographer*
um editor — *an editor*
um programa — *a show*

A MÍDIA   THE MEDIA

uma novela   *a soap-opera*
um seriado   *a serial*
um comercial   *a commercial*
uma televisão   *a tv-set*
televisão a cabo   *cable-tv*
uma antena   *an aerial*
um rádio   *a radio*
um produtor   *a producer*
o diretor   *the director*
um locutor   *a speaker*
um apresentador   *a presenter*
uma estrela   *a star*

* * *

ao vivo   *live*
gravado   *recorded*
confiável   *reliable*
fiel   *accurate*
verdadeiro   *true*
falso   *false*
sério   *serious*
enganador   *deceptive*
chato   *boring*
difícil   *difficult*
divertido   *entertaining*
inacreditável   *unbelievable*
crítico   *critical*
engraçado   *funny*

* * *

olhar   *to watch*
escutar   *to listen*
ler   *to read*
escrever   *to write*
acreditar   *to believe*

3.500 PALAVRAS EM INGLÊS

comentar *to comment*
criticar *to criticize*
pesquisar *to research*
investigar *to investigate*
entrevistar *to interview*
publicar *to publish*
assinar *to subscribe*
imprimir *to print*
comunicar *to communicate*
emitir *to broadcast*
ligar *to turn on*
desligar *to turn off*

POLÍTICA
POLITICS

o país   *the country*
o estado   *the state*
uma sociedade   *a society*
o governo   *the government*
a constituição   *the constitution*
uma democracia   *a democracy*
uma ditadura   *a dictatorship*
uma república   *a republic*
uma monarquia   *a monarchy*
um império   *an empire*
o presidente   *the president*
o rei   *the king*
a rainha   *the queen*
um ditador   *a dictator*
um imperador   *an emperor*
um ministro   *a minister*
um partido   *a party*
um deputado   *a congressman, a deputy*
um senador   *a senator*
o congresso   *the congress*
uma minoria   *a minority*
uma maioria   *a majority*
o senado   *the senate*
o parlamento   *the parliament*
um líder   *a leader*
um estadista   *a statesman*
um porta-voz   *a spokesman*
um político   *a politician*
a confiança   *trust, confidence*

3.500 PALAVRAS EM INGLÊS

uma lei *a law*
uma eleição *an election*
um eleitor *an elector*
o eleitorado *the constituency*
um cidadão *a citizen*
um candidato *a candidate*
um discurso *a speech*
a esquerda *the left-wing*
a direita *the right-wing*
um boletim de voto *a ballot paper*
uma pesquisa de opinião *a poll*
o poder *power*
a liberdade *freedom*
a igualdade *equality*
a desigualdade *inequality*
a opressão *oppression*
o ódio *hatred*
o racismo *racism*

* * *

extremista *extremist*
tolerante *tolerant*
moderado *moderate*
conservador *conservative*
democrático *democratic*
demagógico *demagogic*
honesto *honest*
corrupto *corrupt*
influente *influent*
persuasivo *persuasive*

* * *

governar *to govern, to rule*
eleger *to elect*
candidatar-se *to run for*

POLÍTICA POLITICS

perder   *to lose*
ganhar   *to win*
derrubar   *to overthrow*

CRIME E CASTIGO
CRIME AND PUNISHMENT

a polícia *the police*
um policial *a policeman*
a delegacia *the police station*
a cela *the cell*
a vítima *the victim*
a violência *the violence*
um criminoso *a criminal*
um delinqüente *a delinquent*
a delinqüência *delinquency*
um ladrão *a thief*
um assassino *a murderer*
um seqüestrador *a kidnapper*
um refém *a hostage*
um falsário *a forger*
um receptador *a fence*
um estuprador *a rapist*
um traficante *a dealer*
um drogado *a drug-addict*
um cafetão *a pimp*
um roubo *a robbery*
um furto *a theft*
um assassinato *a murder*
um seqüestro *a kidnapping*
um estupro *a rape*
uma falsificação *a forgery*
uma arma *a weapon*
as algemas *the handcuffs*
uma ameaça *a threat*
a prova *the evidence*

CRIME E CASTIGO CRIME AND PUNISHMENT

um indício *a clue*
uma impressão digital *a finger print*
um álibi *an alibi*
um julgamento *a trial*
a justiça *justice*
um tribunal *a tribunal, a court*
o juiz *the judge*
o advogado *the lawyer*
o procurador *the prosecutor*
a testemunha *the witness*
o acusado *the accused*
o veredicto *the verdict*
a sentença *the sentence*
a prisão *the jail*
o presídio *the penitentiary*
o presidiário *the convict*
o guarda *the warden*
a pena de morte *the death penalty*

* * *

impiedoso *ruthless*
cruel *cruel*
perigoso *dangerous*
ameaçador *threatening*
culpado *guilty*
inocente *innocent*

* * *

roubar, furtar *to rob, to steal*
matar *to kill*
morrer *to die*
falsificar *to forge*
estuprar *to rape*
assassinar *to murder*
apunhalar *to stab*

3.500 PALAVRAS EM INGLÊS

estrangular *to strangle*
fugir *to flee*
prender *to arrest*
pegar *to catch*
atirar *to shoot*
resistir *to resist*
investigar *to investigate*
incriminar *to incriminate*
confessar *to confess*
processar *to prosecute*
acusar *to accuse*
defender *to defend*
julgar *to judge*
condenar *to condemn*
absolver *to acquit*
libertar *to free, to release*
escapar *to escape*

GUERRA E PAZ
WAR AND PEACE

a guerra   *the war*
o inimigo   *the enemy*
um aliado   *an ally*
um exército   *an army*
a marinha   *the navy*
a força aérea   *the air force*
a bandeira   *the flag*
um soldado   *a soldier*
um marinheiro   *a sailor*
um aviador   *an aviator*
um oficial   *an officer*
um general   *a general*
um coronel   *a colonel*
um capitão   *a captain*
um tenente   *a lieutenant*
um sargento   *a sergeant*
uma batalha   *a battle*
a estratégia   *the strategy*
a ofensiva   *the offensive*
a defesa   *the defense*
um combate   *a fight*
o ataque   *the attack*
a incursão   *the raid*
um bombardeio   *a bombing*
uma emboscada   *an ambush*
uma arma   *a weapon*
um rifle   *a rifle*
uma pistola   *a hand-gun*
uma metralhadora   *a machine-gun*

uma bala   *a bullet*
uma granada   *a grenade*
uma mina   *a mine*
um canhão   *a cannon, a gun*
um obus   *a shell*
um foguete   *a rocket*
um míssil   *a missile*
um avião   *a plane*
um avião de combate   *a fighter*
um bombardeiro   *a bomber*
uma bomba   *a bomb*
um porta-aviões   *an aircraft carrier*
um submarino   *a submarine*
um navio de guerra   *a warship*
um tanque   *a tank*
um herói   *a hero*
uma medalha   *a medal*
um desertor   *a deserter*
um traidor   *a traitor*
um espião   *a spy*
um preso   *a prisoner*
uma vitória   *a victory*
uma derrota   *a defeat*
uma retirada   *a retreat*
um cessar-fogo   *a cease-fire*
uma trégua   *a truce*
a rendição   *the surrender*
um tratado   *a treaty*
a paz   *the peace*
os mortos   *the dead*
os feridos   *the wounded*
um sobrevivente   *a survivor*

GUERRA E PAZ WAR AND PEACE

a destruição *the destruction*
as ruínas *the ruins*

* * *

sangrento *bloody*
violento *violent*
mortífero *deadly, lethal*
desumano *inhumane*
terrível *terrible*
medonho *frightful, dreadful*
incondicional *unconditional*
corajoso *courageous*
covarde *coward*
fraco *weak*
forte *strong*
ousado *daring, bold*

* * *

combater *to fight*
atacar *to attack*
defender *to defend*
resistir *to resist*
atirar *to shoot, to fire*
enfraquecer *to weaken*
cercar *to surround*
derrotar *to rout*
destruir *to destroy*
afundar *to sink*
massacrar *to massacre*
esmagar *to crush*
ameaçar *to threaten*
vencer *to win*
perder *to lose*
render-se *to surrender*

O DIA A DIA
EVERY DAY'S LIFE

Em Casa   At Home

uma casa   *a house*
um prédio   *a building*
um apartamento   *an apartment, a flat*
um cortiço   *a slum*
uma favela   *a shanty town*
o telhado   *the roof*
uma telha   *a tile*
uma antena   *an aerial*
uma chaminé   *a chimney*
uma ardósia   *a slate*
uma parede   *a wall*
um tijolo   *a brick*
o cimento   *cement*
um bloco   *a block*
o concreto   *concrete*
a pedra   *stone*
uma janela   *a window*
uma sacada   *a balcony*
um vidro de janela   *a window-pane*
o vidro   *glass*
uma veneziana   *a shutter*
a fachada   *the front*
a soleira   *the threshold*
o patamar   *the landing*
uma porta   *a door*
um ferrolho   *a bolt*
uma fechadura   *a lock*
uma chave   *a key*

DIA A DIA EVERYDAY'S LIFE

a campainha *the bell*
a entrada *the entrance*
a saída *the exit*
a escada *the stairs*
o corrimão *the banister*
um degrau *a step*
um vestíbulo *a hall*
um corredor *a corridor*
a sala *the living-room*
a sala de visitas *the drawing-room*
a sala de jantar *the dining-room*
um quarto *a room*
o escritório *the study*
um banheiro *a bathroom*
a cozinha *the kitchen*
o porão *the cellar, the basement*
o sótão *the garret, the attic*
o térreo *the ground-floor*
a garagem *the garage*
um andar *a floor*
o teto *the ceiling*
o chão *the floor*
o proprietário *the landlord*
o inquilino *the tenant*
o zelador *the janitor*
a empregada *the maid*

* * *

enorme *huge*
minúsculo *minuscule, small*
espaçoso *spacious, roomy*
apertado *cramped*
escuro *dark*

claro   *light*
chique   *smart*
* * *
comprar   *to buy*
vender   *to sell*
alugar   *to rent*
mudar-se   *to move*

Móveis e Acessórios
Furniture and Appliances

os móveis   *the furniture*
uma poltrona   *an armchair*
um sofá   *a sofa*
uma almofada   *a cushion*
uma espreguiçadeira   *a couch*
uma cadeira   *a chair*
uma cadeira de balanço   *a rocking-chair*
um banquinho   *a stool*
uma mesa   *a table*
uma mesa de centro   *a coffee table*
uma estante   *a shelf*
uma biblioteca   *a book-case*
um tapete   *a carpet*
o papel de parede   *the wall paper*
uma lareira   *a fireplace*
um quebra-luz   *a lamp-shade*
a luz   *the light*
um lustre   *a chandelier*
uma lâmpada elétrica   *a light-bulb*
uma luminária   *a lamp*
um interruptor   *a switch*
uma tomada   *a plug*
uma cortina   *a curtain*

DIA A DIA EVERYDAY'S LIFE

uma persiana   *a window blind*
um aparador   *a sideboard*
um armário   *a closet, a cup-board*
um espelho   *a mirror*
uma cômoda   *a chest of drawers*
uma gaveta   *a drawer*
uma cama   *a bed*
um berço   *a cradle*
um criado-mudo   *a bedside table*
um refrigerador   *a refrigerator*
um fogão   *a range, a cooker*
as chapas   *the hot-plate*
um forno   *an oven*
o exaustor   *the suction fan*
uma máquina de lavar   *a washing-machine*
um lava-louça   *a dishwasher*
a batedeira   *the mixer*
o ferro de passar   *the pressing iron*
os armários de parede   *the wall-cabinets*
uma pia   *a sink*
uma torneira   *a tap, a faucet*
o secador   *the drain-board*
uma frigideira   *a frying pan*
uma panela   *a pan*
um pote   *a pot*
uma assadeira   *a roasting dish*
uma chaleira   *a kettle*
uma cafeteira   *a coffee-maker*
uma tábua   *a chopping board*
um ralador   *a grater*
uma caneca   *a mug*
uma concha   *a scoop*
uma espátula   *a spatula*

3.500 PALAVRAS EM INGLÊS

um moedor   *a mincer*
um coador   *a colander*
um martelo   *a meat tenderer*
um rolo   *a rolling pin*
um cutelo   *a chopping knife*
uma lixeira   *a garbage-can, a dust-bin*
uma banheira   *a bathtub*
um chuveiro   *a shower*
um lavatório   *a washstand*
a privada   *the toilet*
o assento   *the seat*
a tampa   *the seat cover*
a bacia sanitária   *the toilet bowl*
o papel higiênico   *the toilet paper*
a descarga   *the flush*
o aquecimento   *the heating*
a ar condicionado   *the air-conditioning*
o encanamento   *the plumbing*

* * *

confortável   *comfortable*
estofado   *upholstered*
elétrico   *electrical*
quente   *warm, hot*
arejado   *airy*
limpo   *clean*
sujo   *dirty*
empoeirado   *dusty*
entupido   *obstructed*

* * *

mobiliar   *to furnish*
decorar   *to decorate*
limpar   *to clean*
cozinhar   *to cook*

DIA A DIA   EVERYDAY'S LIFE

Família e Amigos
Family and Friends

o pai   *the father*
a mãe   *the mother*
o marido   *the husband*
a mulher   *the wife*
o filho   *the son*
a filha   *the daughter*
os filhos   *the children*
o avô   *the grand-father*
a avó   *the grand-mother*
o neto   *the grandson*
a neta   *the grand-daughter*
a tia   *the aunt*
o tio   *the uncle*
a irmã   *the sister*
o irmão   *the brother*
o sobrinho   *the nephew*
a sobrinha   *the niece*
o sogro   *the father-in-law*
a sogra   *the mother-in-law*
o genro   *the son-in-law*
a nora   *the daughter-in-law*
a madrasta   *the step-mother*
o padrasto   *the step-father*
um parente   *a relative*
um amigo   *a friend*
um namorado   *a boy-friend*
uma namorada   *a girl-friend*
um amante   *a lover*
um caso   *an affair*
o noivado   *the engagement*
o casamento   *the marriage, the wedding*

3.500 PALAVRAS EM INGLÊS

a noiva   *the bride*
o noivo   *the bridegroom*
o padrinho   *the best man*
um solteiro   *a bachelor*
uma solteirona   *a spinster*
uma viúva   *a widow*
um viúvo   *a widower*
a gravidez   *the pregnancy*
o nascimento   *the birth*
o padrinho   *the godfather*
um nenê   *a baby*
uma criança   *a child*
um guri   *a kid*
um garoto   *a boy*
uma garota   *a girl*
um adolescente   *an adolescent, a teenager*
um adulto   *an adult*
um velho   *an oldster*
uma vida   *a life*
a morte   *death*

* * *

feliz   *happy*
infeliz   *unhappy*
querido   *dear*
mimado   *spoilt*
rígido   *rigid, strict, severe*
bondoso   *kind*
educado   *well-bred*
maldoso   *wicked, bad*
cabeçudo   *stubborn*
obediente   *obedient*
desobediente   *disobedient*
apaixonado   *in love*

DIA A DIA   EVERYDAY'S LIFE

triste   *sad*
amigável   *friendly*
fiel   *faithful*

* * *

nascer   *to be born*
criar   *to raise*
amar   *to love*
beijar   *to kiss*
abraçar   *to hug*
crescer   *to grow up*
mimar   *to spoil*
repreender   *to scold*
chorar   *to cry*
rir   *to laugh*
casar   *to marry*
divorciar   *to divorce*
brigar   *to fight*
enganar   *to cheat, to be unfaithful*
morrer   *to die*

LAZER
LEISURE

Festas *Parties*

um aniversário   *a birthday*
Natal   *Christmas*
um casamento   *a wedding*
o batismo   *the baptism, the christening*
um feriado   *a holiday*
uma cerimônia   *a ceremony*
um convidado   *a guest*
um presente   *a gift*
um bolo   *a cake*
um papo   *a chat*
uma conversação   *a conversation*
uma discussão   *an argument*
uma opinião   *an opinion*
uma fofoca   *a gossip*
uma brincadeira   *a joke*
um baile   *a ball*
uma dança   *a dance*
um flerte   *a flirt*

***

delicioso   *delightful*
animado   *lively*
barulhento   *noisy*
formal   *formal*
enfadonho   *boring*
falador   *talkative*
divertido   *enjoyable, entertaining*

***

convidar *to invite*
celebrar *to celebrate*
apresentar *to introduce*
reunir-se *to gather*
festejar *to entertain*
fofocar *to gossip*
gracejar *to joke*
cantar *to sing*
dançar *to dance*
brincar *to play*
falar *to talk*
comer *to eat*

Esportes e Jogos
Sports and Games

um esporte *a sport*
um jogo *a game*
uma partida *a match, a game*
um desportista *a sportsman*
o árbitro *the referee*
um jogador *a player*
um atleta *an athlete*
um treinador *a coach*
o treinamento *the training*
um campeão *a champion*
uma equipe *a team*
um parceiro *a partner*
um torcedor *a supporter*
uma vitória *a victory*
uma derrota *a defeat*
um empate *a draw*
um recorde *a record*
uma medalha *a medal*

um perdedor   *a loser*
um vencedor   *a winner*
o campeonato   *the championship*
o torneio   *the tournament*
a temporada   *the season*
o gol   *the goal*
o goleiro   *the goalkeeper*
a bola   *the ball*
o estádio   *the stadium*
o campo   *the field*
um ginásio   *a gymnasium*
um trampolim   *a spring-board*
uma argola   *a ring*
um peso   *a weight*
um haltere   *a dumb-bell*
as paralelas   *the parallel bars*
a barra fixa   *the horizontal bar*
uma corda   *a rope*
uma quadra   *a court*
uma pista   *a track*
um ringue   *a ring*
uma rede   *a net*
uma raquete   *a racket*
o serviço   *the service*
o futebol   *soccer*
o tênis   *tennis*
o vôlei   *volley-ball*
o basquete   *basket-ball*
o golfe   *golf*
o squash   *squash*
a natação   *swimming*
o atletismo   *athletics*
a ginástica   *gymnastics*

LAZER LEISURE

o boxe *boxing*
o ciclismo *cycling*
as corridas *racing*
uma corrida *a race*
um salto *a jump*
o playground *the playground*
a gangorra *the see-saw*
o balanço *the swing*
o carrossel *the carrousel, merry-go-round*
o tobogã *the toboggan*
a areia *the sand*
a pá *the shovel*
o ancinho *the rake*
o balde *the bucket*
a pá de cavar *the spade*
a forma *the mould*
um carrinho de mão *a wheel barrow*
um banco *a bench*
uma piscina *a pool*
o jogo de damas *checkers, draughts*
a dama *the queen*
o xadrez *chess*
o rei *the king*
a rainha, a dama *the queen*
a torre *the castle*
o bispo *the bishop*
o cavalo *the knight*
o peão *the pawn*
o tabuleiro *the chessboard, the checkerboard*
as cartas *cards*
o valete *the jack, the knave*
o ás *the ace*
ouros *diamond*

copas *heart*
paus *club*
espadas *spade*
as palavras cruzadas *the crossword*
um trocadilho *a pun*
uma charada *a riddle*
um quebra-cabeça *a puzzle*
os dados *the dice*

* * *

rápido *quick*
veloz *fast*
forte *strong*
vigoroso *vigorous*
fora de forma *out of shape*
cansado *tired*
fácil *easy*
difícil *difficult*
invicto *unbeaten*
violento *violent*
excitante *exciting*
ferido *injured*
esgotado *exhausted*
duro *tough, hard*
afortunado *lucky*

* * *

correr *to run*
saltar *to jump*
pegar *to catch*
puxar *to pull*
empurrar *to push*
jogar, lançar *to throw*
bater *to strike*
jogar *to play*

LAZER LEISURE

cair *to fall*
competir *to compete*
desafiar *to challenge*
dominar *to dominate*
marcar *to score*
vencer *to win*
perder *to lose*
vaiar *to hoot*
aclamar *to cheer*
empatar *to draw*
treinar *to train*
praticar *to practice*

SAÚDE
HEALTH

Corpo Body

a cabeça   *the head*
o cérebro *the brain*
o cabelo   *the hair*
um cacho   *a curl*
uma mecha *a lock*
a risca   *the parting*
o coque   *the bun*
um rabicho *a pony tail*
uma trança *a braid*
a barba   *the beard*
um bigode *a moustache*
uma orelha *an ear*
a testa   *the forehead*
um olho   *an eye*
os olhos   *the eyes*
a sobrancelha *the eyebrow*
o cílio   *the eyelash*
a pálpebra *the eyelid*
a pupila   *the pupil*
a íris   *the iris*
o nariz   *the nose*
a narina   *the nostril*
a boca   *the mouth*
o lábio   *the lip*
um dente   *a tooth*
os dentes *the teeth*
a gengiva *the gum*
a língua   *the tongue*

SAÚDE HEALTH

o paladar *the palate*
a face, a bochecha *the cheek*
o queixo *the chin*
o maxilar *the jaw*
o rosto *the face*
a tez *the complexion*
uma cicatriz *a scar*
uma espinha *a pimple*
uma covinha *a dimple*
uma ruga *a wrinkle*
um traço *a feature*
o pescoço *the neck*
a garganta *the throat*
o pomo de Adão *Adam's apple*
a nuca *the nape of the neck*
o tronco *the trunk*
os ombros *the shoulders*
a axila *the armpit*
o peito *the chest, the breast*
o seio *the bosom*
o mamilo *the nipple*
as costas *the back*
a coluna *the backbone*
uma costela *a rib*
a barriga *the belly*
o umbigo *the navel*
o traseiro *the bottom*
uma nádega *a buttock*
a cintura *the waist*
o quadril *the hip*
a virilha *the groin*
um braço *an arm*
o cotovelo *the elbow*

3.500 PALAVRAS EM INGLÊS

o antebraço   *the forearm*
o pulso   *the wrist*
a mão   *the hand*
a palma   *the palm*
o dedo   *the finger*
o polegar   *the thumb*
a articulação   *the knuckle, the joint*
um osso   *a bone*
a unha   *the nail*
o punho   *the fist*
a perna   *the leg*
a coxa   *the thigh*
o joelho   *the knee*
o jarrete   *the hollow of the knee*
a rótula   *the knee-cap*
a barriga da perna   *the calf*
a canela   *the shin*
o tornozelo   *the ankle*
o pé   *the foot*
o dedo do pé   *the toe*
os pés   *the feet*
o calcanhar   *the heel*
a planta do pé   *the sole*
o coração   *the heart*
os pulmões   *the lungs*
o fígado   *the liver*
o rim   *the kidney*
o estômago   *the stomach*
o intestino   *the bowel*
a pele   *the skin*
a carne   *the flesh*
um músculo   *a muscle*
uma veia   *a vein*

SAÚDE HEALTH

uma artéria *an artery*
o sangue *the blood*
um nervo *a nerve*

***

loiro *blond*
moreno *brown*
ruivo *auburn*
cacheado *curly*
careca *bald*
cabeludo *hairy*
enrugado *wrinkled*
liso *smooth*
alto *tall*
baixo *small*
musculoso *sinewy, sturdy*
esbelto *slender*
forte *strong*
fraco *weak*
gordo *fat*
magro *thin*
teso *stiff*
flexível *flexible*
feio *ugly*
bonito *beautiful*

***

respirar *to breathe*
bater *to beat*
crescer *to grow*
engolir *to swallow*
digerir *to digest*

***

Doença Illness

um médico *a doctor*
um cirurgião *a surgeon*
um dentista *a dentist*
uma consulta *an appointment*
um especialista *a specialist*
um paciente *a patient*
uma enfermeira *a nurse*
uma doença *a disease, an illness*
a dor *the pain, the ache*
um resfriado *a chill, cold*
uma gripe *a flu*
uma febre *a fever*
uma convulsão *a fit, convulsion*
uma náusea *a nausea*
uma infecção *an infection*
um corte *a cut*
uma queimadura *a burn*
uma inflamação *an inflammation*
uma fratura *a fracture*
uma ferida *a wound*
um arranhão *a scratch*
um deslocamento *a sprain*
uma irritação *an irritation, a rash*
um micróbio *a germ*
um vírus *a virus*
uma epidemia *an epidemic*
uma tosse *a cough*
uma contusão *a bruise*
um envenenamento *a poisoning*
a prisão de ventre *the constipation*
a insônia *the insomnia*
uma cãibra *a cramp*

SAÚDE HEALTH

o câncer *cancer*
um transplante *a transplant*
a contracepção *contraception*
o aborto *abortion*
uma operação *an operation*
uma injeção *an injection*
uma vacina *a vaccine*
uma cárie *a tooth decay*
uma obturação *a filling*
uma dentadura *a denture*
a broca *the drill*
uma extração *an extraction*
a prescrição *the prescription*
um remédio *a medicine, a drug*
a cura *the healing, the cure*
a recuperação *the recovery*
uma maca *a stretcher*
uma cadeira de rodas *a wheelchair*
o hospital *the hospital*
um seguro *an insurance*

* * *

doente *sick, ill*
saudável *healthy*
contagioso *catching, contagious*
incurável *incurable*
curável *curable*
grave *serious*
benigno *benign, mild*
mortal *deadly*
cansativo *tiring*
esgotado *exhausted*
postiço *false*

* * *

melhorar   to improve, to get better
piorar   to change for the worse
sarar   to heal, to recover
vomitar   to throw up
desmaiar   to faint
tossir   to cough
espirrar   to sneeze
fungar   to sniff
doer   to ache, to hurt
tirar   to extract
operar   to operate
examinar   to examine
tratar   to treat
cuidar   to take care
sentir   to feel

Acidentes e Morte
Accidents and Death

um acidente, um desastre   an accident, a crash
uma catástrofe   a catastrophe
uma explosão   an explosion
um incêndio, um fogo   a fire
a chama   the flame
um afogamento   a drowning
um desmoronamento   a collapse
uma inundação   an inundation
um terremoto   an earthquake
um ciclone   a cyclone
uma tempestade   a storm
os desabrigados   the homeless
um sobrevivente   a survivor
uma vítima   a victim

o salvamento   *the rescue*
o salvador   *the rescuer*
um salva-vidas   *a life-saver*
um bombeiro   *a fireman*
as ruínas   *the ruins, remains*
os destroços, os escombros   *the wreckage*
um cadáver   *a corpse*
um esqueleto   *a skeleton*
um túmulo   *a tomb*
um caixão   *a coffin*
um cemitério   *a cemetery*

* * *

acidental   *accidental*
catastrófico   *catastrophic*
explosível   *explosive*
violento   *violent*
imprevisível   *unforeseeable*
trágico   *tragic*
desastroso   *disastrous*

* * *

explodir   *to explode*
desmoronar   *to collapse*
inundar   *to inundate*
salvar   *to save, to rescue*
queimar   *to burn*
destruir   *to destroy*
colidir   *to crash*
destroçar   *to wreck*

Sentidos   *Senses*

a visão   *sight*
a luz   *the light*
a escuridão   *the darkness*

3.500 PALAVRAS EM INGLÊS

a sombra   *the shadow, the shade*
a ofuscação   *the darkening*
o deslumbramento   *the dazzling*
o brilho   *the brightness*
o contraste   *the contrast*
as cores   *the colors*
o preto   *black*
o branco   *white*
o azul   *blue*
o vermelho   *red*
o verde   *green*
o amarelo   *yellow*
o marrom   *brown*
o cinza   *grey*
o roxo   *purple, violet*
a miopia   *shortsightedness*
a presbiopia   *farsightedness*
a cegueira   *blindness*
o daltonismo   *color-blindness*
os óculos   *the glasses*
uma lente de contato   *a contact-lens*
a audição   *hearing*
o silêncio   *silence*
um barulho   *a noise*
um som   *a sound*
o farfalhar   *the rustle*
o sussurro, um murmúrio   *the rippling, a whisper*
uma algazarra   *an outcry*
um grito   *a scream*
um assobio   *a whistle*
um estrondo   *a roaring, a rumble*
a surdez   *deafness*

SAÚDE HEALTH

a mudez   *dumbness*
o tato   *touch*
uma carícia   *a caress*
um empurrão   *a push, a shove*
um aperto de mão   *a handshake*
um abraço   *a hug*
um golpe   *a blow, a stroke*
uma bofetada   *a slap*
uma tapinha   *a pat*
o olfato   *smell*
um perfume   *a perfume, a fragrance*
um cheiro   *a smell, a scent, an odor*
um fedor   *a stink, a stench, a reek*
o gosto   *taste*
um sabor   *a flavor*
uma delícia   *a delight*
o amargor   *bitterness*
a doçura   *sweetness*
a insipidez   *insipidity*
o gosto azedo   *sourness*

* * *

luminoso   *bright, light*
escuro   *dark*
brilhante   *shining*
cego   *blind*
caolho   *one-eyed*
visível   *visible*
invisível   *invisible*
surdo   *deaf*
mudo   *dumb*
alto   *loud*
baixo   *low*
silencioso   *silent*

3.500 PALAVRAS EM INGLÊS

ensurdecedor *deafening*
barulhento *noisy*
audível *audible*
inaudível *inaudible*
fedorento *stinking, smelly*
perfumado *perfumed*
cheiroso *odorous, fragrant*
macio *soft*
áspero *harsh, rough*
liso *smooth*
duro *hard*
frio *cold*
quente *warm*
saboroso *tasty, savoury, palatable*
doce *sweet*
amargo *bitter*
salgado *salty*
apimentado *spicy*
azedo *sour*
delicioso *delicious*

* * *

ver *to see*
olhar *to look at, to watch*
fitar *to stare*
piscar *to flash*
brilhar *to shine, to glitter*
cintilar *to twinkle*
enxergar *to discern, to see*
ouvir *to hear*
escutar *to listen*
gritar *to yell, to scream*
berrar *to shout*
trovejar *to thunder*

assobiar   *to whistle*
tocar   *to touch*
acariciar   *to stroke*
apertar   *to squeeze*
agarrar   *to grasp*
golpear, bater   *to strike*
cheirar   *to smell*
feder   *to stink*
saborear   *to taste*
salgar   *to salt*
temperar   *to season*
adoçar   *to sweeten*
azedar   *to sour*
amargar   *to embitter*

Coração e Mente
Heart and Mind

um sentimento   *a feeling*
o amor   *love*
a ternura   *tenderness*
a compaixão   *compassion, pity*
a bondade   *goodness*
a maldade   *wickedness*
o ódio   *hatred*
o ciúme   *jealousy*
a inveja   *envy*
o orgulho   *pride*
a vaidade   *vanity*
a vontade   *will*
a sabedoria   *wisdom*
a raiva   *madness, rage, anger*
a serenidade   *serenity*
o espírito   *wit, spirit*

a inteligência   *intelligence*
a imaginação   *imagination*
a estupidez   *stupidity*
o egoísmo   *egoism*
a generosidade   *generosity*
uma qualidade   *a quality*
um defeito   *a fault*
a intolerância   *intolerance*
a coragem   *courage*
a mesquinharia   *meanness*
a hipocrisia   *hypocrisy*
a lealdade   *loyalty*
a sensibilidade   *sensibility*
o entusiasmo   *enthusiasm*
a felicidade   *happiness*
a tristeza   *sadness*
o desespero   *despair*
o desprezo   *contempt*
a amizade   *friendship*
a inimizade   *enmity*
o otimismo   *optimism*
o pessimismo   *pessimism*
a angústia   *anguish, anxiety*
o medo   *fear*

★ ★ ★

amado   *loved*
terno   *tender*
bom   *good*
mau   *wicked, bad*
odioso   *odious, hateful*
ciumento   *jealous, envious*
orgulhoso   *proud*
vaidoso   *vain*

SAÚDE HEALTH

sábio *wise*
raivoso *mad, angry*
espirituoso *witty*
inteligente *clever*
imaginativo *fanciful*
estúpido *stupid, silly*
egoísta *selfish*
generoso *generous*
intolerante *intolerant*
corajoso *courageous*
mesquinho *mean*
hipócrita *hypocritical*
leal *loyal*
sensível *sensitive*
entusiasta *enthusiastic*
feliz *happy*
triste *sad*
desesperado *desperate*
desprezível *contemptible*
amigável *friendly*
inimigo *inimical*
otimista *optimist*
pessimista *pessimist*
angustiado *afflicted*
amedrontado *afraid*

* * *

amar *to love*
gostar *to like*
odiar *to hate*
sentir *to feel*
temer *to fear*
desejar *to wish*
confiar *to trust*

3.500 PALAVRAS EM INGLÊS

mentir *to lie*
enganar *to deceive*
amedrontar *to scare*

PALAVRAS ÚTEIS
USEFUL WORDS

sim   *yes*
não   *no*
talvez   *may be, perhaps*
por que?   *why?*
porque   *because*
quanto   *how much*
quantos   *how many*
desde   *since*
muito   *very much, a lot*
muitos   *many*
pouco   *a little*
mais   *more*
bastante   *enough*
quando   *when*
antes   *before*
depois   *after*
já   *at once*
nunca   *never*
sempre   *always*
muitas vezes   *often*
agora   *now*
entre   *between*
detrás   *behind*
debaixo   *below*
sob   *under*
por cima   *above, over*
ao lado   *beside*
através   *across, through*
perto   *close, near*

3.500 PALAVRAS EM INGLÊS

longe *far*
para cima *up*
para baixo *down*
diante de *in front of*
sobre *on*
em *in*
dentro *inside*
fora *outside*
aqui *here*
lá *there*
com *with*
sem *without*
até *until*
mais *more*
menos *less*

* * *

grosso *thick*
fino *thin*
gordo *fat*
magro *thin, slim*
vazio *empty*
cheio *full*
pesado *heavy*
leve *light*
largo *broad*
estreito *narrow*
comprido *long*
curto *short*
alto *high*
baixo *low*
alto (estatura) *tall*
baixo (estatura) *small*
fundo *deep*

PALAVRAS ÚTEIS USEFUL WORDS

raso *shallow*
aberto *open*
fechado *closed*
vertical *vertical*
horizontal *horizontal*
afiada *sharp*
embotada *dull, blunt*
entalhado *engraved*
em relevo *embossed*
pontudo *pointed*
obtuso *blunt*
liso *smooth*
áspero *rough*
íngreme *steep*
plano *flat*
cedo *early*
tarde *late*

* * *

bom dia *good morning*
boa tarde *good afternoon*
boa noite *good evening*
boa noite (antes de dormir) *good night*

* * *

por favor *please*
obrigado *thank you*
de nada *you are welcome*

* * *

com licença *excuse me*
desculpe *sorry*
até logo *good bye*

Conheça também outros livros da série:

Este livro foi composto na fonte Sauna e
impresso em fevereiro de 2013 pela Yangraf Gráfica e
Editora Ltda., sobre papel offset 90g/m².